Du même auteur

editionsmilan.com
© 2015 éditions Milan
300, rue Léon-Joulin, 31101 Toulouse
Cedex 9, France.

ISBN : 978-2-7459-7271-2
Dépôt légal : 4e trimestre 2015
Imprimé en Italie

Christophe Loupy

Après
la
récré

MiLAN

Après la récré, c'est Hugo qui est arrivé
le premier dans la classe.
C'est

1

garçon très rapide.
Alors, il a choisi sa place :
au milieu du tapis !

Lucas est entré juste après, mais il veut
lui aussi se mettre au milieu.
Les

2

garçons se disputent et, finalement,
chacun va bouder dans son coin.

Et ensuite, d'après vous, qui arrive?
C'est moi, Chloé.
Maintenant, ça fait

3

enfants sur le tapis.
Comme j'aime bien Hugo et Lucas,
je m'installe entre eux.

Tiens, maintenant, voilà Léa.
À

c'est plus rigolo : on peut s'installer
aux 4 coins du tapis !

Juste après, c'est encore
une fille qui nous rejoint.
Elle s'appelle Émilie.
À présent, on est

5

Émilie s'installe au beau milieu du tapis.

Mais Émilie n'y reste pas très longtemps,
car la maîtresse arrive.
Elle nous rassemble autour d'elle.
Maintenant nous sommes

La maîtresse se place devant nous et dit:
« On va chanter! »

Elle chante bien, la maîtresse !

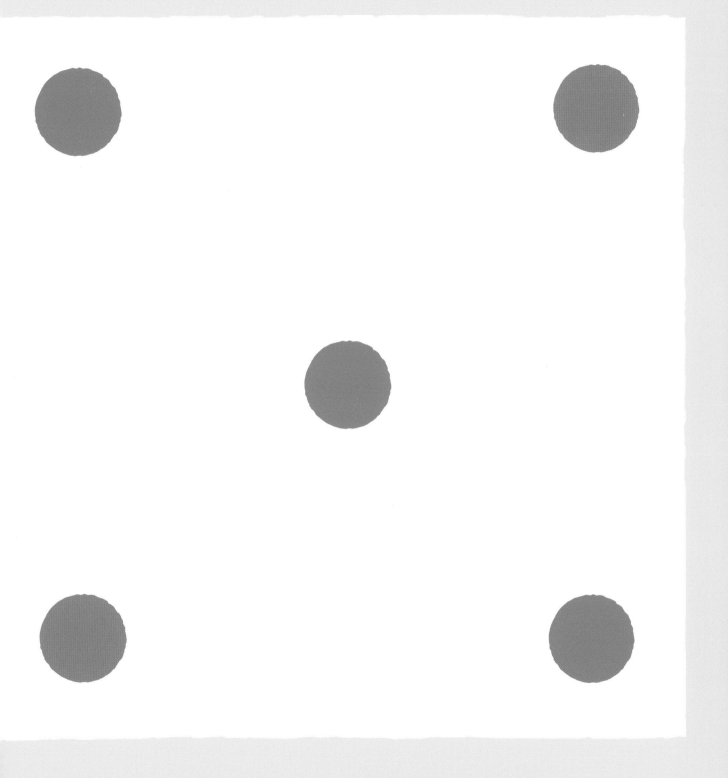

Après, c'est à nous de chanter...

Mais là, c'est beaucoup moins beau.
Alors, la maîtresse fait venir Théo.

Théo est dans la classe des grands.
Lui aussi, il chante bien.

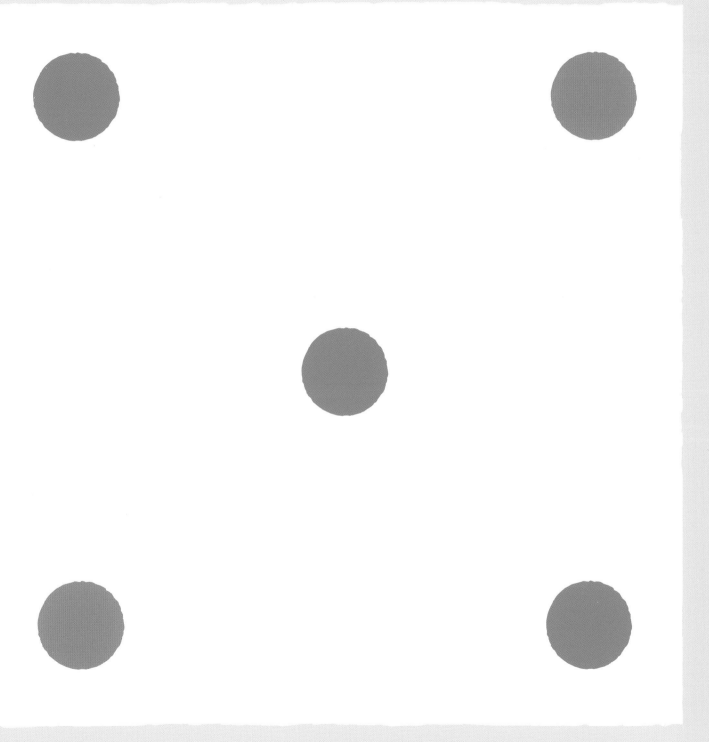

La maîtresse nous demande d'écouter Théo,
puis de chanter avec lui.

C'est beau ! Si beau que ce curieux
de Benjamin vient nous écouter.

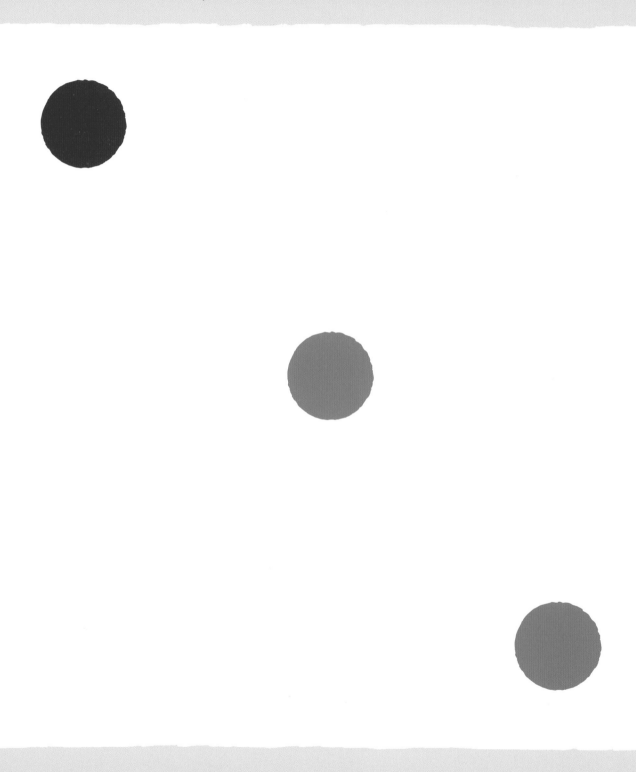

Mais la maîtresse ne le gronde pas.

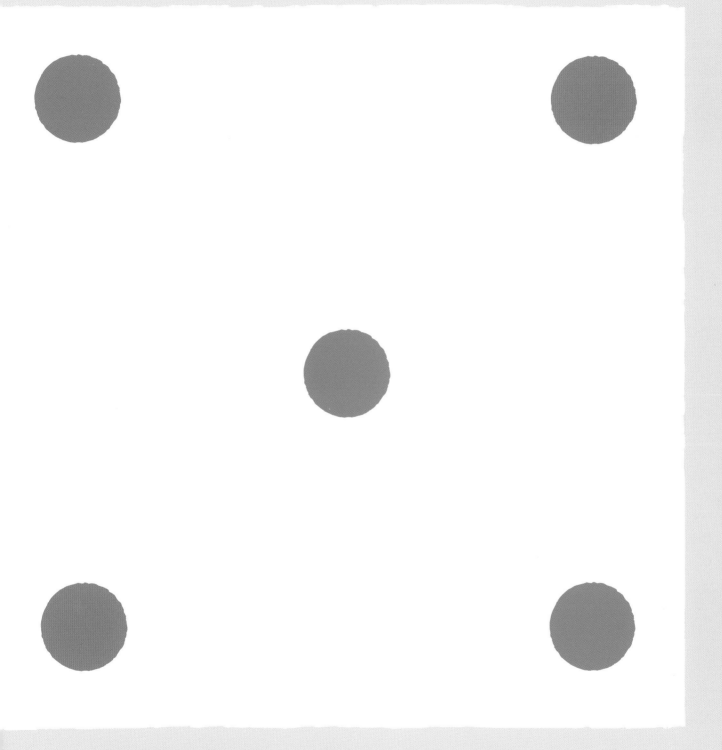

Elle lui dit de venir chanter avec nous.
Elle est gentille, la maîtresse.

Alors, Benjamin et Théo se placent
devant nous pour chanter.

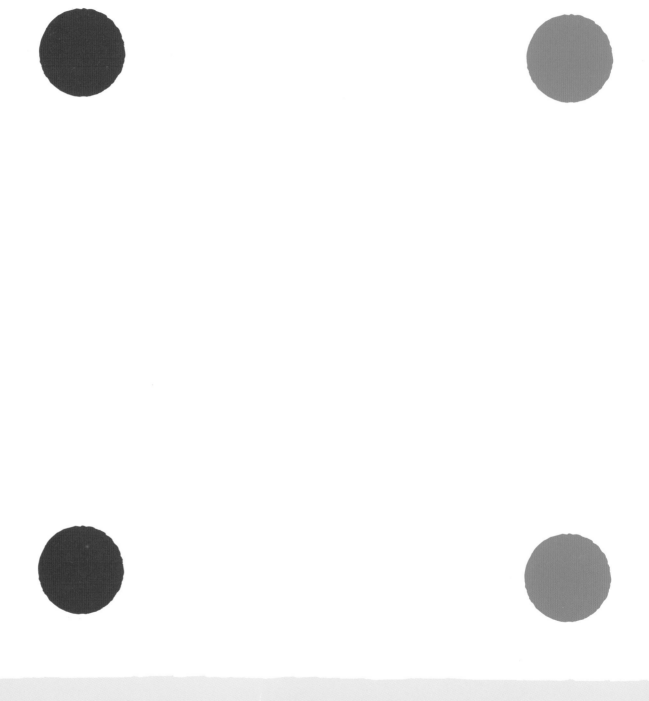

C'est à ce moment-là que Nicole,
la maîtresse des grands, arrive.

Elle était inquiète, elle cherchait
Benjamin partout.

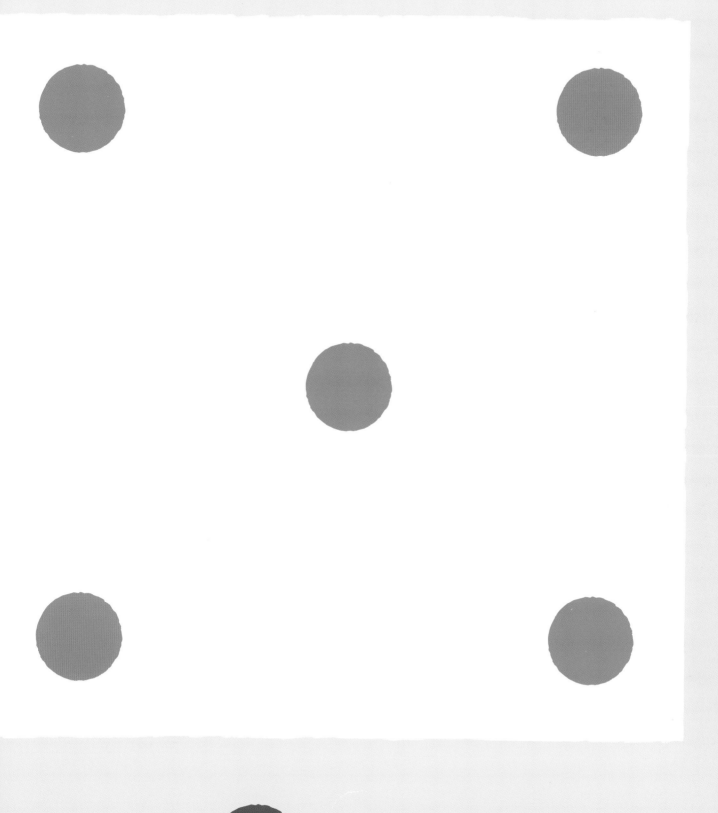

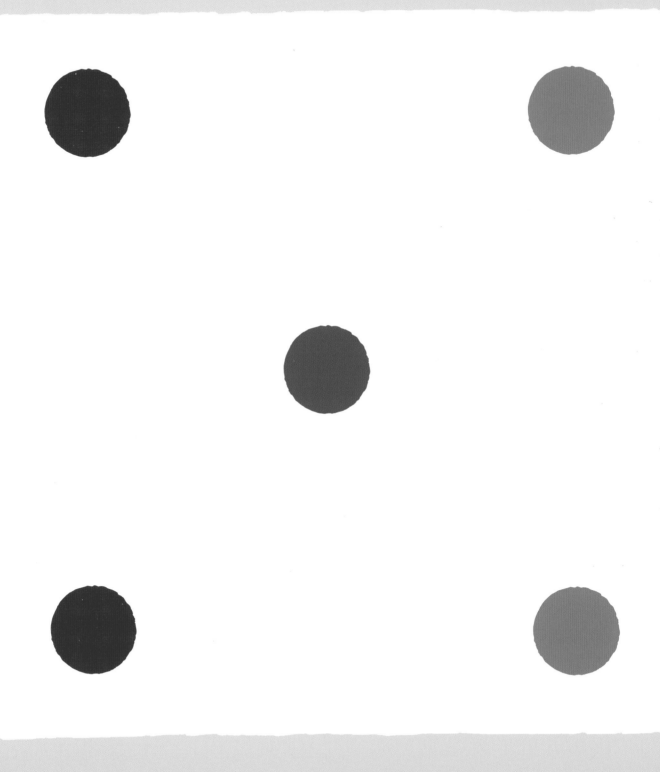

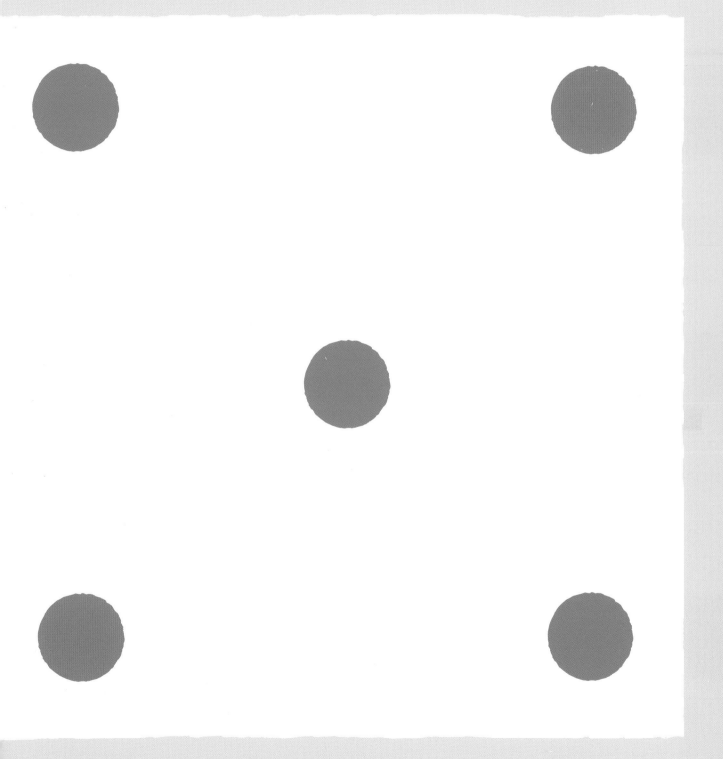

Au secours !

C'EST LE GRAND MÉCHANT LOUP !

RETOURNONS VITE EN RÉCRÉ !